Psy malgré moi

Psy malgré moi

Dossier 8 :
De la fille qui haïssait tendrement sa mère

Un feuilleton de **Marie-Sissi Labrèche**
Illustrations de **Sarah Chamaillard**

la courte échelle

Difficile de dire à Roxanne que je peux m'occuper seule de MES cas. En même temps, pour celui-là, je vais sûrement avoir besoin de son aide...

J'ai réussi à motiver mes troupes ! Chacun a son style, et ensemble on va en trouver un pour Sarah, qui n'en a pas. Du tout.

Démonstration de danse avec Axel. J'ai très chaud tout à coup... C'est normal, ces papillons dans mon ventre ?
Quelle métamorphose ! La nouvelle Sarah est resplendissante.
Panique. Imprévu. Peur. Plaisir. Au secours !

Dossier 8:

De la fille qui haïssait tendrement sa mère

Dossier 8:
De la fille qui haïssait tendrement sa mère

4 février

—Qu'est-ce que vous faites ? demande mon petit frère.

Ça me fait ouvrir les yeux. Axel, lui, se redresse vite et sourit. Je suis soulagée que les choses entre nous restent au beau fixe. Soulagée de ne pas avoir à plonger tout de suite dans mon angoisse sans nom.

—Axel essayait juste de m'enlever une poussière dans l'œil.

—Je peux-tu jouer avec vous ?

Je regarde Axel, mal à l'aise.

—Axel, je pense qu'il faut que j'entre. Fred ne nous lâchera pas. On se voit demain à la poly. Ciao !

Je ferme rapidement la porte.

Mais qu'est-ce que j'ai tout à coup à avoir la trouille d'Axel ? Hier, je ne souhaitais qu'une chose : passer du temps avec lui et voilà qu'aujourd'hui je l'évite...

7 février

Aujourd'hui, j'ai fait exprès d'arriver en retard à la poly pour ne pas tomber sur lui. Mais, nounoune, j'avais oublié que mon premier cours du matin, c'était maths... avec lui !

Là, il est dans la rangée à côté de la mienne, son pupitre est de biais avec le mien. Je sens son regard braqué sur moi. Je le sens qui m'observe. J'ai l'impression que ses yeux s'infiltrent en moi, qu'ils creusent des tunnels dans ma peau, dans mes organes, se frayent un chemin dans mon cerveau, là où se cachent mes pensées les plus intimes. Ils ouvrent le petit bunker en moi, laissant s'échapper les douleurs qui y étaient tapies. Non, je ne veux pas avoir mal.

Je me retourne à toute vitesse et zyeute Axel. Il a l'air absorbé par un problème de trigo complexe. Je me faisais des idées, il ne me regardait même pas. Il est beau. C'est le meilleur garçon qui existe au monde. Je ne pense pas qu'il me ferait mal. Mais avec l'amour, on ne peut être certain de rien. C'est ça, aimer, c'est s'ouvrir à l'autre, le laisser entrer en soi au risque qu'il saccage tout.

Axel lève la tête et voit que je le regarde. Il me sourit.

Je me retourne. Que vais-je faire ? C'est quoi, cette foutue trouille ? J'ai hâte que la journée, la semaine, l'année soit terminée ! Pour l'instant, aussi bien tenter de résoudre ce fameux problème de trigo.

///

Comme tous les midis, je vais rejoindre mes amis à la cafétéria, mais aujourd'hui, je m'y rends avec l'enthousiasme d'un condamné à mort. J'aimerais tellement qu'une soucoupe volante, un attentat terroriste ou une contamination bactériologique survienne...

Roxanne et Axel sont assis à une table du fond. Dès qu'Axel me repère, il me fait de grands signes. Je marche vers eux. Comme je vais m'asseoir, Jessica se braque devant moi. Elle n'est pas maquillée. Oh, là, il se passe sûrement quelque chose de grave.

— Salut, Ariane, est-ce que je peux te parler ?

— Ben oui.

— En privé ?

— Euh... oui. Excusez-moi, dis-je à Axel et à Roxanne qui fait toujours la gueule dès que Jessica est dans les parages.

Je conduis Jessica à mon cagibi.

En arrivant devant la porte, je constate que mon cadenas a été sectionné. La porte du cagibi est ouverte. Encore une fois, des squatteurs ont pris d'assaut mon petit repère. Ça pue la fumée de cigarette et...

— Ça sent donc ben le pot, ici ! s'exclame Jessica.

— Ce n'est pas une bonne idée de rester ici. Si jamais un des surveillants nous découvre, il risque de penser qu'on est des poteuses. Allons à mon casier.

Pourtant, je pensais avoir réglé ce problème-là. Qu'est-ce qu'un psy sans bureau ? C'est comme un cœur sans amour... Axel... Non, ce n'est pas le moment de penser à mes problèmes. Jessica a besoin de moi.

Jessica et moi nous assoyons par terre devant ma case et déballons nos lunchs.

— Bon, Jessica, qu'est-ce qu'il y a ?

Au lieu d'ouvrir la bouche, Jessica éclate en sanglots.

— Ma pauvre, qu'est-ce que tu as ?

Jessica essaie de se ressaisir.

— Ça ne va pas, Ariane, pas du tout. Ma mère ne veut pas que je voie mon père. Je la déteste, s'écrie-t-elle avant de se remettre à pleurer.

—Pourquoi ?

—Parce que c'est une folle !

—Je pense que j'ai besoin de plus de détails...

—Mes parents sont divorcés depuis que j'ai quatre ans. Je reste avec ma mère. J'ai grandi avec elle et ses riches amants. Ma mère, c'est une poule de luxe !

—Oh là ! Jessica, tu es vraiment en colère...

—Ariane, tu ne comprends pas. Ma mère, c'est vraiment une poule de luxe. Elle ne sort qu'avec des hommes riches. Elle ne pense qu'à l'argent et elle voudrait que je sois comme elle, que je pense toujours à protéger mes arrières, que je me rentre dans la tête que les hommes ne sont là que pour profiter de nous et qu'il faut profiter d'eux avant qu'ils se lassent. Snif ! Ce n'est pas des trucs qu'on met dans la tête de sa fille, hurle Jessica.

Sa voix se répercute sur les cases. Je ne pensais pas que cette fille contenait autant de colère et de souffrance. Heureusement que le couloir est vide à l'heure du lunch.

—Hier, j'ai dit à ma mère que j'aimerais revoir mon père. Ça fait deux ans que je ne l'ai pas vu...

—Tu es toujours en contact avec lui ?

—Oui. À chaque fête, il m'envoie un cadeau.

—Mais pourquoi ta mère ne veut pas que tu le voies ?

—Parce qu'elle dit qu'il ne le mérite pas ! Qu'il ne s'est jamais occupé de moi, qu'il n'a jamais donné d'argent. Mais la vraie raison, c'est parce que mon père est pauvre.

—Pourquoi ne vas-tu pas le voir en cachette ?

—Ben, je n'ai pas ses coordonnées, ma mère ne veut pas me les donner. C'est pour cela qu'on s'est crêpé le chignon, hier soir. Je lui ai dit que je finirai par découvrir où il habite et j'irai. Elle m'a répondu : « Tu choisis : ton père ou ton party. Tant que tu seras dans cette maison, tu feras ce que je te dis. » Ariane, c'est horrible. Je veux revoir mon père et je ne veux pas mettre un X sur le party de la Saint-Valentin, le méga événement que tout le monde attend ! Ah, je suis si malheureuse ! Aide-moi !

Et elle pleure de plus belle. Je ne sais pas quoi lui dire. Ce problème me semble au-dessus de mes petites compétences. Le divorce, les histoires de garde légale, de visite, je n'y connais rien. Chez moi, on a beau accumuler les tragédies, on est unis malgré tout. Je plains vraiment ceux qui vivent de tels éclatements familiaux, ça ne doit pas être jojo. Pauvre Jessica, je ne peux pas la laisser tomber.

—Je vais faire quelques recherches. On va trouver une solution. Pour ce soir, je te conseille de te tenir tranquille avec ta mère.

— Merci, Ariane. Je suis certaine que tu vas me sortir de ça.

J'aimerais en être aussi sûre.

Je laisse Jessica aux toilettes pour qu'elle se refasse une beauté. C'est alors que je tombe sur Sarah dans le couloir. Elle non plus n'est pas maquillée, elle a rendossé son ancien look « tapisserie » et elle a les traits tirés.

—Hey, Sarah, comment vas-tu? Je me suis inquiétée...

—Pas fort.

—Veux-tu qu'on en parle ?

— Tu veux que je te dise quoi ? Que j'ai le cœur brisé? Que j'ai eu l'air d'une vraie conne devant Alexis ?

—Mais qu'est-ce qui s'est passé exactement ?

—Pas envie d'en parler, surtout pas avec toi. Tu m'as fait croire à une vie meilleure... J'ai été bête de te faire confiance.

—Ben voyons, Sarah. Jamais je n'ai eu l'intention de te créer de faux espoirs.

Sarah me laisse en plan. C'est quoi cette crise ?

Je suis encore toute défaite, lorsque quelqu'un plaque ses mains sur mes yeux.

— Je n'ai pas envie de deviner. C'est qui ?

La personne ne répond rien. Je me mets à me débattre comme un chat attaché à un poteau. Une fois libérée, je me retourne et découvre Axel qui sourit.

— Axel ! Quand je dis que je n'ai pas envie de jouer, c'est que c'est vrai !

— Coudon, Ariane, est-ce qu'il y avait de la vache enragée dans ton sandwich, ce midi ?

— Je n'ai pas envie de rire. Ça ne va pas bien. Jessica vit quelque chose de très difficile. Elle veut mon aide et je ne sais pas comment m'y prendre. Et Sarah est fâchée contre moi. Elle est convaincue que je l'ai fait rêver pour rien.

— Veux-tu que je te donne un coup de main ?

— Non. Axel, tu ne peux pas m'aider.

— Laisse-moi faire quelque chose... Je peux au moins parler à Sarah, savoir ce qui ne va pas.

— Je n'ai pas envie qu'elle croie que je me suis plainte à toi...

— Elle ne le saura pas, je te jure.

— Non. J'aime mieux pas.

— En tout cas, si tu as besoin de moi pour Jessica, je suis là. Tu le sais, tu peux toujours compter sur moi... Je suis toujours là pour toi, dit-il en replaçant une de mes mèches derrière mon oreille et en me regardant avec ses yeux qui me transpercent pour atteindre mon cœur.

Je suis mal à l'aise. J'ai peur. Peur de quelque chose sans savoir quoi. Cette peur me rend nerveuse et me donne envie de me sauver à toutes jambes.

— On se parle plus tard... Euh... Là, je dois aller à mon cours de... histoire. Non, français, balbutié-je en m'éloignant dans la mauvaise direction.

Axel me regarde me fourvoyer.

— Oups ! C'est par là... Ciao !

///

Encore une journée forte en émotions. Il y en a des problèmes sur terre ! On devrait tous naître avec un psy attitré et gratuit qu'on pourrait consulter n'importe quand. Et pourquoi ne donne-t-on pas des cours de mieux-être, de bonheur et de gestion des émotions à l'école ? Ça rendrait service à l'humanité en entier. En tout cas, pour l'instant, je dois faire tout l'ouvrage. Alors, ce soir, au lieu de bayer aux corneilles, je tente d'aider mon entourage. Tout d'abord, Sarah. Je lui envoie un courriel.

De : Ariane Labrie-Loyal
À : Sarah Janis
Envoyé le : 7 février à 17 h 15
Sujet : AMITIÉ

Sarah,

Je ne sais pas ce qui s'est passé aujourd'hui. Mais sache qu'en aucun cas je n'ai voulu te créer de faux espoirs. Je ne t'ai jamais garanti que tu sortirais avec Alexis. Et si jamais tu as compris autre chose, j'en suis désolée. Mon coaching visait seulement à te donner confiance en toi, à ce que tu te sentes mieux. Par contre, je pense que tu as agi trop rapidement. Je sais, j'aurais dû te prévenir, mais je n'ai pas eu le temps.

J'aimerais beaucoup qu'on se parle. Ça me bouleverse de te savoir malheureuse.

Ariane, qui est toujours là pour toi.

Cette formule, « toujours là pour toi », me remet en mémoire les mots d'Axel aujourd'hui, à la poly. Il avait l'air si sincère, si amoureux, et moi, je suis si perdue dans mes foutues émotions. Je ne sais toujours pas quoi faire, je peux juste laisser les choses aller pour l'instant. Je fais l'autruche. Je me cache la tête dans le sable, en espérant que la solution s'impose d'elle-même... Mais bon sang ! Arrête de te plaindre ! Il y a plus mal pris que toi... Jessica, par exemple. D'ailleurs, tiens, second cas de la journée...

J'ai beau réfléchir, je ne sais pas comment faire pour l'aider. Je ne sais pas où regarder : le Barreau du Québec ? Je ne peux quand même pas appeler un avocat pour connaître les droits de Jessica, ça risque de me coûter la peau des fesses. À moins que... ben oui, je vais demander à mes parents. Ils vont peut-être pouvoir répondre à mes interrogations.

Dans le salon, ma mère et mon père sont assis dans les bras l'un de l'autre comme de jeunes amoureux devant la télé. Ils sont beaux à voir. Fred joue avec ses legos sur le tapis.

—Papa, maman, j'ai une question à vous poser...

—On t'écoute, répondent-ils en chœur, ce qui les fait rigoler.

—Dans le cas d'un divorce, est-ce qu'un parent peut vraiment empêcher son ado de voir son autre parent ?

— Ben, je ne suis pas une experte, mais je pense que si la loi a tranché en faveur d'un parent, en effet, l'interdiction peut être appliquée.

— Mais, d'un point de vue psychologique, il me semble que ce n'est pas bien pour l'ado, rajoute mon père.

— Tu as raison, mon amour, ce n'est pas correct. Imagine l'enfant qui ne peut plus voir son père ou sa mère, c'est horrible...

— Et aussi pour le parent, poursuit mon père. C'est dommage les couples qui se séparent, et qui imposent de pareilles situations à leurs proches. Je pense qu'un parent qui empêche son enfant de voir son autre parent, si évidemment il n'y a pas eu de violence ou autres sévices, est une personne déséquilibrée ou très fragilisée.

— Je crois que ça me sera utile, ce que vous venez de me dire. Merci !

Je retourne dans ma chambre un peu plus légère, en me disant que mes parents m'ont mise sur une bonne piste. Au-delà des problèmes légaux, il y a les problèmes personnels de la mère de Jessica. Et je pense que c'est là qu'il faut agir. Si Jessica parvient à faire comprendre ses raisons à sa mère, si elle l'aborde de la bonne manière, peut-être qu'elle parviendra à la faire changer d'avis. Ça ne se peut pas que sa mère soit à ce point déconnectée des besoins de sa fille. Demain, j'en parle à Jessica.

—Ariane, téléphone pour toi! dit mon père derrière ma porte de chambre.

Des chocs électriques parcourent mon crâne. Oh non. Ça doit être Axel. Je ne suis pas prête à lui parler. Je ne sais pas quoi lui dire.

J'ouvre la porte et prends l'appareil des mains de mon père presque en tremblant.

—Allôôôô!

— Salut, Ariane, c'est moi!

— Ah, Roxy. Tu m'as fait peur.

— Comment ça?

Je n'ai pas envie de raconter ce qui se trame entre Axel et moi. Comme je la connais, elle essayera de régler le problème le plus vite possible, sans prendre en considération mes désirs. Je ne veux pas qu'elle s'en mêle.

—Pour rien. Comment ça va?

—Ça va. Je voulais te demander conseil pour... euh... ma sœur... non, plutôt une voisine, bégaye-t-elle.

C'est la première fois que je la sens aussi nerveuse. Mon petit doigt me dit que sa voisine, c'est peut-être elle.

— Bon, voilà. Ma voisine tripe sur quelqu'un dans un de ses cours, mais elle ne sait pas comment le lui faire savoir, car c'est compliqué...

— Compliqué, en quoi ?

— Ben, compliqué.

— Comment veux-tu que je t'aide... euh, que j'aide ta voisine si je ne sais pas en quoi c'est compliqué ?

— C'est vrai. Bon. En fait, ma voisine ne sait pas si cette autre personne pourrait s'intéresser à elle. Elle a peur de se faire claquer la porte au nez ou de faire rire d'elle.

Eh ben! Est-ce que ça se pourrait que Roxanne soit amoureuse ? Qui peut bien être l'heureux élu ? J'ai tellement envie de le lui demander... mais je me retiens. Je vais attendre qu'elle me l'avoue. C'est comme ça qu'on crée un lien de confiance.

— Tu sais, en amour, tout le monde a peur d'être rejeté par la personne aimée. Mais on doit tous apprivoiser nos peurs pour s'épanouir. Dis à ta voisine de garder en tête que draguer quelqu'un, ce n'est pas une question de vie ou de mort. C'est un cadeau, une fleur, qu'on fait à la personne qui nous intéresse. Et si celui ou celle à qui on fait de l'œil se moque de nous, eh bien, c'est qu'elle n'en valait pas la peine. Et il vaut mieux le savoir le plus vite possible.

—Merci, Ariane. Tu as toujours de bons conseils. Ciao !

Si je m'attendais à ça: Roxanne est peut-être amoureuse ! Ça paraît que la Saint-Valentin approche ! Les petits cœurs ne sont pas accrochés seulement dans les boutiques, mais aussi dans les yeux des gens qui m'entourent... sauf dans les miens.

///

8 février

Ma mère est venue à la poly cet après-midi. Elle a eu envie de faire un brin de jasette avec mes profs, car jusqu'à maintenant, elle avait toujours raté les rencontres de remise de bulletins. Elle a donc bavardé avec ma prof de français, avec Guy Charron, qu'elle a trouvé « tellement hippie ! » et avec mon prof d'arts plastiques qui lui a beaucoup plu. Je comprends, ils ont les mêmes intérêts. J'étais très surprise de la voir à la sortie des cours. Elle m'attendait en souriant devant l'entrée des élèves. J'étais contente qu'elle soit là, car ça m'a évité de rentrer seule avec Axel qui m'attendait, lui aussi, pour marcher avec moi.

On a fait un bout de chemin tous les trois. Axel m'a dit qu'il n'avait toujours pas de nouvelles de Sarah, lui non plus. Puis, ma mère et Axel ont discuté de l'aménagement des salles d'enregistrement. Du matériau le plus efficace pour contenir les riffs de guitare électrique et les coups de batterie. Ma mère adore Axel, ça paraît. Elle le trouve super mignon avec son look « minet ». Elle dit qu'il s'habille comme les garçons dans les années 60. En plus, elle le trouve intelligent, poli et tout et tout.

À la maison, je me suis empressée de préparer ma chambre pour ma rencontre avec Jessica. Je l'ai invitée à souper chez moi. Ma mère a bien voulu qu'on mange toutes les deux dans ma chambre quand je lui ai dit que c'était elle, la fille du divorce, et qu'elle avait besoin de parler. Ma mère a même fait une tarte aux pommes pour la consoler.

18 h. Ça sonne. Jessica est pile-poil à temps. On s'installe toutes les deux sur mon pupitre pour manger.

— C'est quoi, ça ? Ça sent donc ben bon ! s'exclame Jessica.

— C'est du coq au vin.

— Wow ! Je n'en ai jamais mangé. La seule chose que sait faire ma mère, c'est réchauffer des repas congelés.

— Parlant d'elle, comment ça a été hier ?

— Je me suis enfermée dans ma chambre. Je ne l'ai pas vue de la soirée.

— Dis, Jessica, en dehors de cette chicane, avez-vous de bonnes relations ?

— Pouah ! Non. On se crie constamment par la tête !

— J'ai pensé à quelque chose... Peut-être que si tu t'adressais à ta mère sans lui hurler par la tête, ça pourrait ouvrir la porte à la communication...

— Communiquer ? Je n'ai pas envie de communiquer avec elle ! Je la déteste !

— Elle doit bien avoir de bons côtés !

— Bah !

— C'est quoi le dernier beau moment que tu as passé avec elle ?

— Je ne sais pas... Ben, l'année dernière, elle m'a emmenée à Playa del Carmen, au Mexique. Toute la semaine, on s'est baignées, on a fait de la plongée sous-marine dans un récif de corail, on a visité des ruines mayas. Pendant sept jours, on s'est parlé comme si on était deux amies. C'était bien. Puis il a fallu que son chum vienne la rejoindre. La semaine qui a suivi a été l'enfer.

—Pourquoi ?

—Quand il est là, elle n'arrête pas de minauder et ça m'énerve.

C'est drôle, mais j'ai des souvenirs de Jessica en train de minauder avec Justin. On reproche souvent aux autres ce qu'on ne veut pas voir chez soi.

—Je pense que si ta mère se comporte de la sorte avec son amoureux, c'est peut-être parce qu'elle n'est pas à l'aise, qu'elle ne sait pas comment être elle-même devant cet homme. Et peut-être que ça a à voir avec l'argent.

—Comment ça ?

—Peut-être qu'elle joue à l'amoureuse pour pouvoir bénéficier de l'argent de cet homme. À propos, est-ce que ta mère travaille ?

—Non. Elle se fait entretenir par son « homme d'affaires ». Quand elle était avec mon père, elle travaillait un peu. Elle vendait des produits de beauté chez La Baie. Ah, Ariane, j'étais tellement heureuse, enfant, quand mes parents étaient ensemble. Je me rappelle, j'étais constamment assise sur les genoux de mon père…

—Tu sais, Jessica, peut-être que ta mère a peur de te perdre. Peur que tu lui préfères ton père.

— C'est sûr que les dernières fois que j'ai vu mon père, je n'ai pas été correcte avec elle... Mon père est peintre et il mène une vie de bohème. Chez lui, il y a toujours des tas d'artistes qui font la fête. J'ai toujours vanté ses mérites, je ne me suis jamais gênée pour dire à ma mère que je préférerais rester avec lui... On peut faire ce qu'on veut chez mon père, c'est sûr que c'est le fun.

—Oui, mais qui a pris soin de toi toute ta vie? Qui a pourvu à tous tes besoins? Qui a fait en sorte que tu ne manques jamais de rien? Tu sais, ta mère n'est peut-être pas parfaite, mais ton père ne doit pas l'être lui non plus.

—Oui, je sais, il est paresseux... et irresponsable.

—Donc, Jessica, je te conseille de parler calmement avec ta mère. Demande-lui pourquoi elle craint à ce point que tu revoies ton père. Rassure-la. Ayez une vraie conversation de filles. Et défense de crier!

—Je vais essayer ça. En tout cas, il est délicieux votre coq au vin.

—Oui, ma mère est bonne cuisinière. Attends de goûter à sa tarte aux pommes!

///

10 février

La semaine poursuit son cours comme un long fleuve tranquille. C'est bien la première fois que ça arrive depuis le début de l'année. Chez moi, tout va bien. Mes parents semblent vivre en pleine lune de miel. Fred ne fait plus pipi au lit. Florida est tellement obéissante et tranquille que même mon père l'adore. À la poly, j'ai eu une ribambelle de bonnes notes. D'ailleurs, je viens tout juste de sortir de mon cours d'histoire où j'ai obtenu 94 % pour ma dissertation sur les chasseurs-cueilleurs.

Là, je m'en vais au cours d'expression dramatique. Ça va être relax !

— Bonjour, Ariane.

— Bonjour, M. Gagnon.

— Comment va ta mère ? J'ai beaucoup aimé discuter avec elle, l'autre jour. Dis-lui qu'elle aura de mes nouvelles bientôt !

Hein ? Je ne savais pas que le directeur et ma mère s'étaient parlé. Elle ne me l'avait pas dit. Et c'est quoi cette histoire de « nouvelles » ?

Je pense encore à ça quand j'arrive à mon cours d'expression dramatique. Jessica est devant la porte de la classe et embrasse Justin. Ça me fait un petit pincement au cœur. Quand je passe près d'eux, elle m'accroche. Justin, lui, s'en va à son cours en me souriant.

— Ariane, il faut à tout prix que je te parle.

— Qu'est-ce qu'il y a ?

— Ma mère ne veut toujours rien entendre. C'est une folle. J'ai beau essayer de lui parler calmement, elle me gueule toujours après.

—Redis-moi les paroles exactes de votre discussion.

— Ben, en revenant de chez toi mardi, j'ai fait ce que tu m'avais dit. J'ai dit à ma mère : « Pourquoi tu es jalouse de mon père ? Pourquoi tu ne penses qu'à toi ? Pourquoi tu ne t'occupes pas de ce que je ressens ? » Et j'étais calme. Mais elle s'est énervée. Évidemment, ça a fini en cris.

— Jessica, je pense qu'il y a encore un problème de communication.

— Oui, je sais, elle ne m'écoute pas.

— Non, tu l'as accusée tout le long que tu lui parlais : *Pourquoi TU es... Pourquoi TU fais...* C'est normal qu'elle se sente attaquée et réagisse fortement.

— Mais non, j'étais calme comme tu me l'avais conseillé. Je ne l'ai pas agressée.

— Tu sais pourquoi elle s'est sentie attaquée ? Tu as utilisé le « tu » accusateur. Pourquoi TU ne penses qu'à toi ? Pourquoi TU ne t'occupes pas de moi ?... Quand on veut régler des conflits, il faut utiliser le « je ». Genre « je me sens délaissée quand tu agis ainsi ». Le « je », plus un sentiment pour dire ce que tu ressens. Ça la prédisposera à t'écouter. C'est simple, mais c'est super difficile à appliquer.

— Wow ! Comment tu sais ça ?

Je souris. Je ne dis pas à Jessica que, hier soir, j'ai lu tout ce que j'ai pu trouver sur Internet à propos de la communication. Je voulais savoir comment parler à Axel de ce qui se passe entre nous.

— Essaie ça ce soir et tu m'en donneras des nouvelles.

Jessica et moi entrons dans la classe. Jessica va rejoindre ses mini-clones qui me saluent avec toujours autant de malaise. Qu'est-ce qu'elles me font rigoler, ces deux-là ! Une fois assise sur le tapis, alors que je regarde mon agenda, Sarah s'assoit à côté de moi. Elle semble aller mieux. Elle s'est maquillée et habillée comme Jessica le lui a montré.

— Salut, Ariane !

— Salut, Sarah ! réponds-je incertaine, craignant qu'elle me traite de noms ou je ne sais quoi.

— Excuse-moi pour ces derniers jours... Je me suis comportée comme une idiote, comme une ingrate envers toi. Tu as essayé de m'aider et moi, je t'en ai voulu pour ma bévue. Mais tu n'y es pour rien. C'est moi qui me suis précipitée...

—Excuse-moi aussi. J'aurais dû te prévenir, te mettre en garde, te dire que même quand on a ultra confiance en soi, qu'on a un look du tonnerre et qu'on s'épanouit, on essuie aussi des échecs. Ça fait partie de la vie.

—Mais ce n'est pas tout à fait un échec entre Alexis et moi.

—Hein? Tu veux dire qu'il se passe quelque chose...

Comme Sarah vient pour répondre, le prof d'expression dramatique commence le cours. Il va falloir que j'attende cinquante minutes avant de connaître la suite de l'histoire. Ça va être long.

///

11 février

Long, long, long... Je ne pensais pas que ça allait être aussi long! Une journée a passé. Je suis de retour à l'école, direction cours de français, et je ne sais toujours pas ce qui s'est passé entre Alexis et Sarah. À la fin du cours, hier, on n'a pas pu discuter : le prof nous a gardés trop longtemps, si bien que tout le monde était en retard à son cours suivant. Puis, je ne l'ai pas revue. Et je n'ai pas eu de nouvelles d'elle, hier soir. Elle n'avait pas le temps, elle allait voir Alexis. J'ai tellement hâte de savoir ce qui se passe entre eux. Comme j'ai hâte de savoir quelle est cette histoire de directeur qui veut donner des nouvelles à ma mère. Quand je lui ai demandé de quoi il s'agissait, elle a souri et s'est empressée de faire mille choses. On aurait dit qu'elle ne voulait pas me répondre. Mais qu'est-ce qui se passe ? Roxanne non plus ne m'a presque pas donné de nouvelles cette semaine. Donc, pas moyen de connaître l'identité de son prince charmant ! Je ne l'ai jamais vue avec un garçon. En dehors d'Axel et moi, elle ne se tient avec personne. Oh oui, elle semble bien s'entendre avec une fille de son cours d'anglais, mais c'est tout. J'ai hâte de savoir quel est le garçon qui fait craquer mon amie. J'ai beau jouer la carte de la patience, je suis super curieuse.

Tiens, voilà Jessica. Elle va sûrement me dire comment ça a été avec sa mère.

Elle est à trois mètres de moi, mais je sais que le ciel lui est tombé sur la tête. En plus de ne pas être maquillée, elle est mal fringuée et toute décoiffée. Ça n'augure rien de bon.

— Ça ne va toujours pas avec ta mère ?

Jessica éclate en sanglots en plein couloir, devant les étudiants, les profs, le concierge.

Je la prends par la main et la conduis à l'écart.

— Raconte-moi, Jessica.

— Ça ne s'arrange pas. J'ai vraiment fait ce que tu m'avais dit. J'ai parlé au « je ». Je lui ai fait part de mes sentiments. Je suis restée calme. J'ai fait attention de ne jamais l'accuser. Mais elle n'a rien voulu savoir.

— Peut-être lui faut-il du temps ?

— Elle m'a dit de choisir entre le party à la maison ou revoir mon père. Que je ne pouvais pas tout avoir. Mais j'ai plutôt l'impression qu'elle veut juste me torturer.

— Qu'as-tu répondu ?

— J'ai choisi mon père. Elle m'a jeté ses coordonnées, m'a dit de faire mes bagages et d'aller rester chez lui.

— C'est horrible.

Pauvre Jessica. Sa mère semble vraiment avoir une énorme rancœur envers le père de sa fille.

— Ariane, je ne retournerai pas chez moi. J'ai ramassé le strict nécessaire et rempli ma valise. Elle est dans ma case. Ce soir, je m'en vais chez mon père.

Soudain, je me sens coupable. Peut-être aurait-il fallu que je conseille à Jessica de se taire devant sa mère ? De se dire à elle-même qu'elle verra son père plus tard.

—Ariane, je dois annuler le party...

—Je comprends.

—Mais je me sens mal à l'aise. C'est une coutume... Toi, peux-tu prêter ta maison ?

—Oui, Jessica ne t'inquiète pas... Je vais m'en charger.

Dès que cette réponse fuse de ma bouche, je m'en mords les doigts. Pourquoi ai-je répondu oui ? Sur le coup de la culpabilité, je serais prête à faire plein de choses. Un party chez moi... Oh boy ! Comment ma mère va-t-elle prendre ça ? Et mon père ? Bon, il y a assez d'espace. On a un sous-sol dont on ne se sert pas et qui est pas mal grand. Mais est-ce que mes parents vont vouloir qu'une centaine d'élèves viennent célébrer la Saint-Valentin chez eux ? Dans quoi est-ce que je viens de m'embarquer ?

En tout cas, pas le temps de me lamenter, je dois agir le plus vite possible, car le party a lieu demain soir !

Une fois les cours terminés, je reviens vite à la maison pour faire la grande demande à ma famille.

Mon père est sorti faire des commissions. Ma mère est en train de redécorer la salle à manger qui était en piteux état.

— Mamaaan !

— Toi, quand tu prononces maman comme ça, c'est que tu as quelque chose à demander !

— On ne peut rien te cacher...

Je prends tout mon courage à deux mains et j'explique le problème à ma mère. À mon grand étonnement, elle ne pique pas de crise, elle ne s'énerve pas et me répond : oui ! Elle est d'accord ! Elle dit même qu'avec de vieux bouts de tissu à motif hindou qu'elle doit avoir quelque part dans un placard, elle va nous concocter une déco « Rock The Casbah ! ». Et elle va s'occuper de convaincre mon père. Je suis super contente ! Mais pas le temps de m'asseoir sur mes lauriers. Je dois envoyer un courriel de groupe pour annoncer le changement de lieu de la fête et, bien sûr, aider ma mère à préparer le sous-sol. Pas une minute à perdre.

///

12 février

18 h. En moins de deux, ma mère a transformé notre sous-sol terne en palais des mille et une nuits ! Des coussins sont disposés de manière à former des petits salons. Le plafond est recouvert de tissus qui pendent mollement, on dirait qu'un immense matelas bigarré le recouvre. Même un narguilé, une vieille pipe à eau qui date des années d'université de mon père, trône sur une petite table en teck. Mais défense de l'utiliser. Oui, une vraie casbah ! En prime, ma mère nous a préparé au moins deux mille litres de thé à la menthe. Il y a aussi des croustilles, des chocolats, des bonbons en forme de cœur et deux gros punchs aux fruits. Les invités doivent apporter d'autres bricoles à grignoter. J'ai hâte qu'ils arrivent.

20 h. La fête bat son plein. Une cinquantaine d'élèves sont présents. Tous sont émerveillés par la déco, et le thé à la menthe remporte un vif succès. Et ça parle et ça danse au son des choix musicaux d'Axel qui joue au DJ. Moi, j'essaie de danser, mais, depuis le début de la soirée, des gars et des filles me courent après pour me raconter leurs problèmes. Là, je suis en congé. Ben quoi ! Une apprentie psy aussi a droit de s'amuser ! Par contre, voilà Jessica. Impossible pour moi de ne pas savoir ce qui se passe dans sa vie.

— Alors, Jessica. Es-tu allée voir ton père ?

— Oui, laisse-t-elle tomber la mine défaite.

— Qu'est-ce qui ne va pas ?

— Ben, mon père n'avait pas l'air super content de me voir. Il vient de se faire une nouvelle blonde... Il m'a accueillie froidement quand je lui ai dit que je venais m'installer chez lui. Il m'a dit que, pour l'instant, je pouvais rester là et dormir sur le divan, mais qu'on allait en reparler. Puis il est parti avec sa nouvelle blonde. Oh, Ariane, je pense que j'ai fait une grosse connerie.

Justin se pointe derrière elle et l'entoure de ses bras.

— Salut, les filles ! Hey ! C'est cool chez toi, Ariane ! Oh qu'est-ce qui ne va pas ma chérie ? demande-t-il à Jessica qui me fait signe qu'on se reparlera plus tard, avant de se coller contre son chum.

Comme je m'apprête à retourner sur la piste de danse, Alexis et Sarah font leur apparition ensemble. Évidemment, je m'empresse de les accueillir. Alexis va rejoindre sa bande de chums nous laissant seules, Sarah et moi.

— Pis, Sarah, est-ce que je vais finir par savoir ce qui se trame entre Alexis et toi ? Vous sortez ensemble ou quoi ?

— Non, on ne sort pas ensemble. On est amis.

— Ça doit te briser le cœur de te tenir avec le garçon que tu aimes sans pouvoir l'embrasser, le toucher, faire des projets avec lui. À moins que vous ayez décidé de prendre votre temps... Comment ça s'est passé l'autre jour, quand tu es allée le voir à la maison des jeunes ?

— Ciel, Ariane. Tu me poses plein de questions en même temps ! Commençons par le début. Quand je suis allée à la maison des jeunes, j'étais super décidée. Un vrai bulldozer. J'étais tellement sûre de mon nouveau charme et j'avais tellement ce garçon dans la peau que, en entrant dans la place, dès que je l'ai repéré, j'ai foncé droit sur lui.

— Et puis ? Et puis ?

— Ben, je lui ai fait les beaux yeux. Mais comme il jouait au billard, je n'arrêtais pas de me mettre dans son chemin, ce qui le rendait vraiment mal à l'aise. J'ai persisté. Je lui ai souri. C'est là que ses amis ont commencé à faire des commentaires, à dire qu'il avait une soupirante. Pauvre Alexis, il ne savait plus où se mettre. Voyant qu'il était intimidé, ça m'a donné encore plus de *guts*. Je l'ai abordé de front en lui disant une banalité du genre : « C'est quoi ton signe du zodiaque pour avoir des beaux yeux de même ? »

— Non, tu n'as pas fait ça ? pouffé-je.

— Ben oui, une vraie débile ! Et je continuais de le draguer. Et plus je le draguais, plus il était mal à l'aise. Je ne me serais jamais crue capable d'être ainsi. En tout cas. Alexis a fini par se fatiguer et m'a prise à part. Et là, ça n'a pas été drôle. Il m'a dit de lui foutre la paix, que je ne l'intéressais pas, qu'il me trouvait collante, qu'il n'avait jamais vu une fille agir de la sorte, etc. Il était vraiment en colère. Et moi, j'avais tellement honte. Je me suis mise à pleurer et je me suis enfuie chez moi.

— Ça n'a pas dû être facile...

— Oh non. Le lendemain, juste après qu'on se soit vues, Alexis est venu s'excuser d'avoir été bête avec moi. On a parlé et, depuis, on se parle tous les jours. On s'entend super bien. Je le trouve vraiment gentil.

— Allez-vous sortir ensemble ?

— J'aimerais ça, mais je ne pense pas.

— Pourquoi ?

— Je n'ai pas le droit de te le dire. Il m'a fait promettre de n'en parler à personne. Ça va aller, pour moi. J'ai perdu un amoureux, mais je viens de me faire un ami.

— Si tu vas bien, moi, je suis contente. C'est ça qui compte.

— Ne t'inquiète pas, Ariane. Axel m'a dit que tu te faisais du mauvais sang pour moi.

— Il t'a dit ça ?

Je lui avais pourtant demandé de ne pas s'occuper de mes affaires. Il n'a pas pu s'en empêcher. Lui, là, je vais aller lui dire deux mots !

Je fonce sur Axel, mécontente qu'il ne m'ait pas écoutée. Il a délaissé son rôle de DJ pour danser. Et il se fait aller sur la musique des We Are Wolves tout en chantant les paroles de *Fight and kiss*.

Une fois devant lui, je viens pour lui dire ma façon de penser quand, sans savoir pourquoi, j'attrape son visage entre mes mains, plaque ma bouche sur la sienne. Ma langue fend ses lèvres, touche sa langue. La dernière chose que je remarque, ce sont les gens qui nous entourent et qui nous regardent.

De la fille qui haïssait tendrement sa mère

Un début d'année rock & roll!

Dossier 9

en vente partout le 29 mars

De la façon de repousser celui qu'on aime

Wow ! J'ai bien cru que je n'allais jamais me sortir de cette mini-crise ! Sarah qui me fait des reproches, Jessica qui pleure sans cesse, Roxanne qui me cache des choses... Et Axel. Mais heureusement, il y a l'effet Saint-Valentin ! Mes parents en amour, ceux de Jessica en désamour, Sarah en amitié. Et Roxanne ? Et Axel... Bon, OK, je sais que c'est le meilleur gars du monde, le plus beau, le plus fin, le plus intelligent, le plus attentionné... C'est quoi mon problème ? Je n'ai qu'à lever le petit doigt pour être sa princesse. Alors pourquoi mes jambes veulent partir en courant ? Et justement, je n'ai surtout pas besoin de ma mère dans les pattes pour m'espionner à la poly ! Le cauchemar...

Marie-Sissi

LA DISCUSSION DE L'HEURE :

As-tu déjà eu des problèmes de communication avec tes parents ? Est-ce que tu as trouvé des « trucs » pour parler calmement ?

LES SÉRIES LES AUTEURS CAPSULES

Labrèche blogue !

zod

.COM

ÉVÉNEMENTS

CONCOURS

Pavel

Matthieu Simard

epizzod

Coffret Pavel 1 - Épisodes 1 à 7

Maintenant réunis en coffrets !

Coffret Pavel 2 - Épisodes 8 à 13
En prime, le premier épisode de la série (K)

Coffret Les Allergiks 1 - Épisodes 1 à 7

epizzod

epizzod
.COM

Marie-Sissi Labrèche

Lorsqu'elle était jeune, Marie-Sissi voyait son avenir tracé : elle voulait devenir sexologue. Mais un jour, à dix-sept ans, la jeune Montréalaise commence à lire *La grosse femme d'à côté est enceinte* de Michel Tremblay. C'est la révélation. Elle se tourne vers la littérature et obtient une maîtrise en création littéraire. Elle n'a cessé d'écrire depuis : journaliste pour la presse féminine, auteure et scénariste. Elle a entre autres coscénarisé le film *Borderline*, tiré de ses romans, qui a notamment reçu le prix Génie de la meilleure adaptation en 2008. Précisons que Marie-Sissi écrit souvent devant la télé, sur son divan rouge, en position dite « de la crevette ».

Sarah Chamaillard

Le domaine de Sarah, c'est l'image. Elle a suivi un programme de trois ans en illustration et elle travaille aujourd'hui dans le monde du jeu vidéo. La Sarah adolescente était un peu la même que la Sarah adulte. Avec moins de confiance en elle. Aujourd'hui, elle aimerait pouvoir se rencontrer au secondaire pour se dire que ça ne vaut vraiment pas la peine de s'en faire avec de petites choses. Et malgré toutes les questions qu'elle se pose encore, elle aime bien ce qu'elle est devenue.

Les éditions de la courte échelle inc.
5243, boul. Saint-Laurent
Montréal (Québec) H2T 1S4
www.courteechelle.com

Directrice de collection : Geneviève Thibault
Direction littéraire : Anne-Sophie Tilly
Révision : Lise Duquette
Directeur de conception : Jean-François Lejeune
Direction artistique : Mathieu Lavoie et Bartek Walczak
Infographie : Aurélie Roos

Dépôt légal, 1er trimestre 2010
Bibliothèque nationale du Québec

La courte échelle reconnaît l'aide financière du gouvernement du Canada par l'entremise du Programme d'aide au développement de l'industrie de l'édition pour ses activités d'édition. La courte échelle est aussi inscrite au programme de subvention globale du Conseil des Arts du Canada et reçoit l'appui du gouvernement du Québec par l'intermédiaire de la SODEC.

La courte échelle bénéficie également du Programme de crédit d'impôt pour l'édition de livres – Gestion SODEC – du gouvernement du Québec.

Catalogage avant publication de Bibliothèque et Archives nationales du Québec et Bibliothèque et Archives Canada

Labrèche, Marie-Sissi

De la fille qui haïssait tendrement sa mère

(Psy malgré moi ; 8)
(Epizzod)
Pour les jeunes de 12 ans et plus.

ISBN 978-2-89651-312-3

I. Chamaillard, Sarah. II. Titre. III. Collection: Labrèche, Marie-Sissi. Psy malgré moi ; dossier 8. IV. Collection: Epizzod.

PS8573.A246D47 2010 jC843'.6 C2010-940193-X

PS9573.A246D47 2010

Imprimé au Canada

Dans la même série :

Psy malgré moi, Dossier 1:
De l'arrivée tonitruante dans une nouvelle poly

Psy malgré moi, Dossier 2:
De celle qui se faisait allègrement manipuler par son chum

Psy malgré moi, Dossier 3:
De l'art d'infliger une violence ordinaire

Psy malgré moi, Dossier 4:
De la jalousie envers une best qui drague votre chum

Psy malgré moi, Dossier 5:
De la dépression que l'on soigne à la SPCA

Psy malgré moi, Dossier 6:
De l'art de passer inaperçue chez le gynéco

Psy malgré moi, Dossier 7:
Du relooking extrême pour l'estime de soi

Psy malgré moi, Dossier 8:
De la fille qui haïssait tendrement sa mère

Psy malgré moi, Dossier 9:
De la façon de repousser celui qu'on aime
Parution le 29 mars 2010